藝 文 叢 刊

三虞堂書畫目
麓雲樓書畫記略

〔清〕完顏景賢　等著
諸笑三　點校

浙江人民美術出版社

圖書在版編目（CIP）數據

三虞堂書畫目/（清）完顏景賢著;諸笑三點校.
麓雲樓書畫記略/（清）汪士元著;諸笑三點校.--杭
州:浙江人民美術出版社，2023.2
（藝文叢刊）
ISBN 978-7-5340-8802-5

Ⅰ.①三… ②麓… Ⅱ.①完… ②汪… ③諸…
Ⅲ.①漢字-書法-專題目録-中國-古代②中國畫-專題目
録-中國-古代 Ⅳ.①Z88：J212

中國版本圖書館CIP數據核字(2021)第077556號

出版説明

本書收録晚清民國時期私人書畫藏目兩種，分别爲《三虞堂書畫目》及《麓雲樓書畫記略》。

《三虞堂書畫目》，完顔景賢撰。完顔景賢（一八七六—一九二七），字亨父、任齋，號樸孫，室號小如庵、三虞堂、虞軒、獻厂、咸熙堂、異趣蕭齋、米論四希書畫巢、真晋堂等，滿洲鑲黄旗人，其曾祖父爲完顔慶麟，其父爲户部員外郎華毓。他精鑒賞，所見甚廣，字畫書籍收藏甚富，端方諸公嘗與遊。收藏大家張伯駒亦曾在其《春遊瑣談》中的《北京清末以後之書畫收藏家》一文内寫道：「清末至民初北京書畫收藏家，首應推完顔景賢。」并以較大篇幅詳細介紹了《三虞堂書畫目》中所記景樸孫藏品的情況和去向，可見其書的重要性。此書原爲稿本，係北京收藏家蘇宗仁無意間購入，后楊子勤先生辨爲景樸孫手書，蘇宗仁遂將其整理編次，按書、畫分爲上下兩卷，共包括晋唐宋元明書畫一百四十六種，并附碑帖目十七種及論書畫詩二十首。此外，蘇氏還與楊獻谷、楊子勤及楊鑒資相與討論此目中書畫的流傳及真僞，復加按語於後，此書書名亦爲蘇氏按景氏堂名而定。此次整理，以一九三三年蘇宗仁鉛印本爲底本，予以標點。

《三虞堂書畫目》所録除完顔景賢的藏品外，還包括曾經他過眼的他人藏品，其中名迹纍纍。法書包括陸機《平復帖》、王獻之《送梨帖》與《東山松帖》、虞世南《汝南公主墓誌銘》墨迹，名畫則包括張僧繇《五星二十八宿神形圖》、王維《伏生授經圖》、韓滉《五牛圖》、李昭道《春山圖》、傳閻立本《北齊校書圖》、董源《寒林重汀圖》、李成《讀碑窠石圖》、龔開《駿骨圖》、倪瓚《水竹居圖》等，其中不少已經流落海外。在體例方面，《書畫目》僅存名目和簡單的材質信息，没有對作品的詳細記録，不過，對於其直接的流轉情況和歸屬則記録清晰，是珍貴的收藏史資料，而在後附的《三虞堂論書畫詩》中，景氏則擇其要者加以詳述，中雜賞鑒考證之語，可補書畫目之不足。

《麓雲樓書畫記略》，汪士元撰。汪士元（一八七七—一九五一），安徽盱眙（今屬江蘇）人，字向叔，光緒甲辰科進士。曾任直隸總督府幕僚、直隸河間兵備道、長蘆鹽運使、直隸財政廳長、北洋政府財政部次長、財政善後委員會委員等職，收藏書畫頗豐。本書爲汪氏自撰所藏書畫目録，據汪士元自序，當作於一九二二年夏（壬戌六月）其四十六歲之時。其中的記載包括書畫作品的材質、尺寸、鈐印與題跋等詳細信息，還有對用筆、運墨的詳細描述，對書畫家的評述，以及對作品整體的鑒賞。其中的名作，包括宋徽宗《晴麓横雲圖》、蘇軾《禱雨帖》、錢選《并蒂蓮房圖》、顔輝《鍾進士元夜出游圖》、沈周《卧游圖》等。此次整理，以一九二二年石印本爲底本，予以標點。

張伯駒在《春游瑣記》中亦論及汪士元與《麓雲樓書畫記略》：「民初後，鑒藏家其著者有楊蔭北、關伯珩、葉遐庵、顔韻伯、汪向叔諸氏。汪向叔之收藏，有《麓雲樓書畫記略》，蓋以所藏宋徽宗《晴麓横雲圖》爲名。共宋元明清書畫一百三十八件，内宋元十一件，均係紙本精品。汪氏眼力既佳，選擇尤精，故所收少有贋迹，以欠債全部售出。」雖眼力極精，藏品又多爲真迹，但汪士元有豪賭之癖，屢屢因此而急需現款，他珍藏的書畫也因此分批售出，星流雲散。宋徽宗《晴麓横雲圖》爲汪士元「麓雲樓」中最著名的藏品，這件作品便是在被汪士元售出後，輾轉流入日本，成爲阿部房次郎的收藏。愛物尚不能倖免，則其餘藏品的命運也可想而知了。韻古齋老闆韓少慈就曾買入汪士元一批藏品，又轉手一部分給津浦鐵路局長徐世章，賺得暴利。除此之外，汪士元還曾將藏品賣給大村西崖，據顧廷龍自藏《麓雲樓書畫記略》跋語所載，汪氏藏品亦有畫詩上下卷，舊拓碑帖一目亦附繫焉。楊歗谷先生素精賞鑒，與子勤先生及其哲嗣鑒資兄，不憚繁瑣，相與討論目中書畫流傳之迹與其真僞。宗仁復加按語於後，以見鑒别書畫之難如此。景氏堂名三虞，遂取以名書。舉付排印，或亦賞鑒家所樂於觀覽也。時中華民國二十二年二月二日，安徽太平縣蘇宗仁厚如自識於北平寓廬之百一硯齋。

目録

三虞堂書畫目

序

戊辰年春，每於冷攤搜買碑帖，有崔姓賈人，時送書册至寓求售。一日晨，忽賫稿本一厚册至。閲之，字體潦草，所記皆書畫碑帖之目，間有詩句，凌亂殊甚，置之案頭者纍月。後偶取流覽，見其每一目下皆注有爲某人物，而與陶齋互貽者尤多，若四明本《華山碑》即其一也。且各書畫皆係晋唐宋元明歷朝珍品，清代名迹則未録及，不知著者爲何許人。細勘全稿，亦不得其姓氏。偶與楊子勤先生語及，疑爲景樸孫都護物。及睹原稿，識其筆墨，曰：是矣，果樸孫手稿也。余始恍然。按樸孫姓完顔氏，名景賢，滿洲鑲黄旗人，刑部尚書崇文勤公之孫，户部員外郎華毓之子。精於賞鑒，字畫書籍收藏甚富，當時如端陶齋諸公皆嘗與遊，故所見益廣，所收益富。惜身後遺物散失迨盡，雲烟過眼，殊可歎也。今無意得其手録書畫各目都百四十六種，附碑帖目十七種，論書畫詩二十首，後繫識語，仿竹垞《筠廊論畫詩》體，頗可覘其梗概。余爲一一録出，去其重複不可識者，依次編定爲書畫目上下卷，論書畫詩上下卷，舊拓碑帖一目亦附繫焉。楊歗谷先生素精賞鑒，與子勤先生及其哲嗣鑒資兄，不憚繁瑣，相與討論目中書畫流傳之迹與其真僞。宗仁復加按語於後，以見鑒別書畫之難如此。景氏堂名三虞，遂取以名書。舉付排印，或亦賞鑒家所樂於觀覽也。

時中華民國二十二年二月二日安徽太平縣
蘇宗仁厚如自識於北平寓廬之百一硯齋

三虞堂書畫目卷上

完顔景賢撰
太平蘇宗仁厚如編次

按景氏以「三虞」名堂，其實「三虞」皆不真確，惟藏張僧繇《五星廿八宿神形圖》，的是唐畫。上有梁令瓚題字，即梁所畫。《宣和書譜》曾經注明，已歸日本爽籟館。爲景生平壓軸。

西晉陸士衡平復帖曾在恭邸處，高陽李文正乙未曾借出，得以寓目。今聞已送日人矣。

按《平復帖》現仍在心畬工孫所，并未送與日人。

晋王大令送梨帖真迹卷余物，現存。

晋王大令東山松帖真迹卷紙本，有予收藏印。庚子失去。

梁武帝異趣帖真迹卷余物。

唐摹右軍此事帖卷紙本，有余收藏印。現在。

唐摹右軍嘉興帖卷紙本。庚子失去。

唐虞永興廟堂碑真迹册紙本，有余收藏印。陶帥贈，現存。

唐虞永興汝南公主墓志銘稿真迹卷紙本。有余收藏印。陶帥贈，現存。

按《汝南公主墓志》景臨終同小李將軍《春山圖》卷給其愛女，近爲人騙去，然非虞書，實宋人摹本。

唐虞永興破邪論序墨寶卷紙本。余在金陵新收，現存。

唐歐陽率更正書陰符經墨寶卷紙本。庚子失去，毁壞大半，惟存前題及「陰符經」三字劫餘。現存。

唐懷素山水帖真迹卷張野秋物。

唐高閑上人草書半卷千文真迹卷紙本。庚子失去，可惜之至。

唐人草書蘭亭序册紙本。新收，現存。

唐羅昭諫代錢鏐謝賜鐵券表稿真迹卷余物。

唐人篆書説文木部六紙卷陶公物。

按《説文·木部》已歸日本内藤湖南博士。此卷有小米題字，是宋高宗南渡所收之物，較敦煌吐魯番掘者尤精。

唐人七寶轉輪經卷王文敏物。

唐人兜沙經册陶公物。

唐人鬱單越經卷費君直物。

宋韓魏公畫像并詩翰真迹卷紙本。新收，現存。

宋林和靖自書詩真迹卷紙本。新收，現存。

宋王晋卿潁昌湖上詩蝶戀花詞真迹卷紙本。庚子失去，可惜可惜！

宋文潞公三札真迹卷陶公物。

宋蔡忠惠謝賜御書詩真迹卷陶公物。

宋蘇文忠乞居常州奏狀真迹卷費君直物。

宋蘇文忠昆陽城賦真迹卷陶公物。

宋米元章小楷向太后挽詞真迹册陶公物。

按《向太后挽詞》現歸袁珏生侍講。

宋米元章草書四帖册陶公物。又《珊瑚》《復官》二帖册，盛侍郎物。

宋王逸老草書千文真迹册陶公物。

宋黄文節王史二公墓志銘稿真迹卷陶公物。

宋張温夫金剛經真迹册紙本。余物，庚子失去，現存三頁。

宋張温夫華嚴經册陶公物。

宋文信公慈幼堂榜書真迹卷陶公物。
元趙文敏福神觀記真迹卷費君直物。
元趙文敏妙巖寺記真迹卷費君直物，歸陶。
元趙文敏贍巴帝師碑真迹卷費君直物，歸陶。
元趙文敏寶雲寺記真迹册此係曾刻底本，庚子失去。
元趙文敏章草千文真迹卷紙本。新收，現存。
元趙文敏草書千文真迹卷費君直物。
元趙文敏行草千文真迹卷紙本。新收，現存。
元趙文敏臨聖教序真迹卷紙本。新收，現存。
元趙文敏爲張清夫書洛神賦真迹卷余物。
元趙文敏書送秦少章序真迹卷陶公物。
元趙文敏書二圖二贊真迹卷費君物。
元趙文敏絹本黄庭經真迹卷陶公物。
元趙文敏紙本黄庭經真迹卷費君物。

元趙文敏書酒德頌真迹卷費君物。

元趙文敏書遠遊篇真迹卷陶公物。

元趙文敏行書多心經册王漢甫物。

元趙文敏子英學士帖册盛侍郎物。

元趙文敏書片玉集册上海陳商物。

元趙文敏書兩漢策要真迹十四册余物。黄卷古本，五百八十餘頁，奇寶也。現存。

按《兩漢策要》是學趙書而非真迹。

元趙文敏書陶詩秋菊有佳色帖一幅《六法書大觀十八幅册》附。余物，庚子失去。

元倪雲林詩札五幅卷余物。

元倪雲林静寄軒詩文推篷卷陶公物。

元楊廉夫書海棠城詩真迹卷陶公物。

元馮子振自作自書居庸關賦真迹長卷紙本。現存。

元人和楊鐵厓草玄閣落成詩册紙本。現存。

元人大觀法書真迹册二十幅，安麓村輯，紙本。庚子失去，可惜。

元明人書札真迹册李芝陔舊藏。紙本。現收。
明解學士草書真迹册紙本。現存。
明徐子仁自書詩真迹册紙本。現存。
明祝枝山模宋拓鍾王虞三家小楷真迹卷紙本。庚子失去。
明董文敏老年書雪賦真迹册紙本。現存。
明人書札真迹卷瞿木夫輯，紙本。現存。
明黄石齋五言對真迹紙本。現存。
明張二水五言對真迹紙本。現存。
明高忠憲公五言對真迹紙本。現存。
明方正學先生五言對真迹紙本。現存。
明史閣部七言對真迹紙本。現存。
明薛文清公七言對真迹紙本。現存。
明女士薛素素七言對真迹紙本。現存。
以上法書。國朝人不載。

三虞堂書畫目卷下

完顏景賢　撰
太平蘇宗仁厚如編次

晉顧虎頭洛神圖卷絹本。陶公物。

按《洛神圖》卷，宋人仿。已歸日人。

唐閻右相北齊校書圖卷絹本。余物。

唐閻右相鎖諫圖卷龐萊臣物。絹本。

唐王右丞寫濟南伏生像卷絹本。山東陳壽卿物。

按《伏生授經圖》卷已歸日本爽籟館。

唐韓晉公五牛圖卷吴幼齡物。紙本。

按《五牛圖》現歸金鞏伯。

唐小李將軍春山圖卷絹本。陶公物。

按《春山圖》卷本薛覲唐舊藏，後歸景，臨終給其愛女，卒爲人騙去，但是宋人摹仿。

唐裴寬小馬圖卷絹本。趙松雪臨本合裝。余物。

唐烟波子漁詞圖真迹半卷紙本。乙巳夏間得，現存。

唐貫休五祖授衣鉢圖真迹卷絹本。乙巳得，現存。

唐吴道子觀音像真迹立軸明昌題，秋帥藏。絹本，元磁軸頭。庚子失去。

南唐周文矩羲像卷絹本。

南唐周文矩戲嬰圖卷陳安士物。絹本。

南唐王齊翰勘書圖卷絹本。陶公物。

南唐董北苑天下第一圖大幅絹本。乃當王漢甫物。現存。

按「北苑天下第一」爲思翁題字。已歸日人。

北宋李成王曉合作讀碑圖雙軿挂幅絹本。余舊藏，己亥得。

按《讀碑圖》已歸日人，但屬後仿。

北宋李龍眠蜀山勝概圖卷紙本。陶公物。

北宋李伯時醉僧圖卷龐萊臣物。紙本。

北宋李伯時摹閻立本列國女貞像卷絹本。余物。

北宋范寬重山複嶺圖卷絹本。余物。

北宋范華原秋山蕭寺圖真迹卷絹本。乙巳冬得，現存。

北宋郭河陽谿山秋霽圖卷絹本。陶公物。

北宋燕文貴溪山風雨圖卷紙本。丙午冬得，現存。

北宋張舜民歸牧圖卷即浮休子。絹本。費梓怡物。

北宋巨然長江圖卷絹本。陶公物。

按《長江圖》卷，陶齋攜至資州，遇害，爲曾某所得，復燬於火。

南宋畫院絲論圖立軸絹本。阮文達題，戊戌秋贈瑞景翁。

宋米元暉海岳菴圖紙本。陶公物。

宋米敷文雲山得意圖紙本。陶公物。

宋小米墨戲袖卷紙本。余物。

宋夏珪長江圖卷絹本。余物。

宋夏珪四景圖卷絹本。李芝陔舊物，今歸陳姓。

宋梁楷右軍書扇圖卷盛杏孫物。紙本

宋梁楷放牛牧馬圖長卷紙本。余舊物，贈陶公。

宋趙子固墨蘭圖卷湖石查物。紙本。
宋趙子固水仙圖卷紙本。有自書詩，亦紙本。陶公物。
宋龔開駿骨圖卷紙本。佘物。
按《駿骨圖》卷已歸日本爽籟館。
宋龔開中山出遊圖卷龐萊臣物。紙本。
宋沈氏子番刻絲雲山高逸圖小挂幅絹本。丙午春得，現存。
按沈孳字子番，南宋人。《雲山高逸》原屬陸心源所藏，嗣歸羅雪堂，景從羅得，現歸周華章。
宋楊妹子題馬遠山水真迹中掛幅絹本。舊藏，現存。
宋裕陵富貴圖真迹長幅絹本，蔡卞題詩，古銅軸頭。戊戌送榮相。
宋元畫册拾翠阮芸臺舊藏，有總題，絹本。庚子失去，壬寅得回，惟失阮跋一頁，現存。
宋元集錦十幅册絹本。現存。
金李山風雪杉松圖卷龐萊臣物。絹本。
元錢玉潭掃象圖卷紙本。陶公物。
元錢玉潭和靖觀梅圖卷紙本。陶公物。

元錢玉潭柴桑翁圖鮮于端草書歸去來辭卷紙本。現存。

按《柴桑翁卷》現歸蒼梧關伯珩。

元趙松雪天育驃騎圖卷絹本，後附篆書歌紙本。余舊物，贈陶公。

元趙松雪龍王禮佛圖大幅絹本。余物。

元趙松雪竹林玩鶴圖真迹立軸紙本。新收，現存。

元趙氏一門三竹卷紙本。陶公物。

元趙子俊石勒問道圖真迹立軸紙本。舊藏，庚子失而復得。

元王蒙山岳神秀圖真迹卷紙本。現存。

元王叔明雲林小隱圖卷《稚川移居圖》附，紙本。陶公物。

元王叔明太白山圖卷《修竹遠山圖》附，紙本。盛杏孫物。

元王孤雲觀音送子圖真迹卷絹本。現存。

元張溪雲雙鈎竹卷紙本。陶公物。

元朱德潤王若水良常草堂圖雙卷紙本。陶公物。

元黄子久秋山無盡圖卷《陽明洞天》《陡壑密林》《九峯雪霽》三圖附，紙本。陶公物。

按《秋山無盡圖》現存衡亮生處，亮生，樸孫之叔也。

元吴仲圭墨竹坡石真迹立軸紙本。現存。

元吴仲圭松泉圖推篷卷《漁父圖》《墨竹》附，紙本。陶公物。

元倪雲林水竹居圖卷紙本。陶公物。

元倪雲林山水長卷《龍門僧圖》附，紙本。余物。

元柯丹丘竹譜巨册三十六幀，紙本。庚子失去，可惜之至！

按丹丘《竹譜》庚子失去，爲龐虚齋所得，景至滬贖回，殁後爲張岱杉購送張漢卿。

元曹雲西松陰高士圖真迹立軸紙本。庚子失去。

元曹雲西松泉圖真迹卷紙本。現存。

明初徐幼文獅子林圖册紙本。乃當王漢甫物，現存。

明初楊眉菴江山卧遊圖真迹卷紙本。現收。

明初王孟端山水小長方幅紙本。現存。

明初九龍山人岱岳春雲圖真迹長幅紙本。現存。

明唐六如秋林新雁圖真迹中掛幅絹本。現存。

明唐伯虎山水真迹十幅方册紙本。現存。
明張靈畫唐六如小像真迹立軸紙本。現存。
明周東村祝枝山小像真迹卷絹本。現存。
明仇十洲彈箜篌美人圖真迹掛幅絹本。現存。
明徐天池墨花卉雙壁真迹卷紙本，傅青主小楷題。現存。
明宗開先詩意山水畫真迹册紙本，同時對題。現存。
以上名畫，國朝人不載。

完顔景賢　撰
太平蘇宗仁厚如編次

三虞堂碑帖目附

宋拓漢華山碑四明未剪本大掛幅送陶帥，以成三峯佳話。

按四明本現在潘馨航手。

宋拓聖教序有出字本孫退谷、米紫來題跋。庚子失去。

宋拓歐黄庭經册有汪竹坪題。庚子失去。

宋拓褚黄庭經卷《秘閣續帖》本。現存。

宋拓十三行唐模本作掛屏。現存。

宋拓唐模蘭亭張澂刻本現存。

宋拓皇甫碑綫裂未斷本現存。

按《皇甫碑》後歸趙聲伯太守，楚青部郎曾爲印行。

宋拓天尊像背碧落篆真本後有陳鴻題，文衡山像。現存。

宋拓麓山寺碑陶帥贈，現存。

宋拓李北海東林寺碑原本庚子失去。

元拓草書要領帖五册乃宋刻本，非近今李氏者。現存。

明拓聖教序初斷本張叔未題。現收。

明拓李思訓碑張叔未題。現存。

泰山廿九字篆阮元舊藏本長幅送陶帥。

真定武蘭亭塹字有賊毫本掛屏當是唐拓，世所希有，即落水真本也。現存。

右軍十七帖南唐建業文房拓本卷庚子失去，至今猶在夢想。

舊拓晉唐小楷帖四册成王題。現存。

以上碑帖，新拓不載。

三虞堂論書畫詩卷上

完顔景賢撰
太平蘇宗仁厚如編次

家珍久佚幸歸藏，十字送梨誇小王。唐宋臨摹難與類，堂開真晋抗元章。

王大令《送梨帖》真迹，自宋元已來疊經著録。有柳公權、文與可題跋，明世爲王敬美物，同時鑒賞諸家多爲題識。王百谷嘗云，世傳二王墨迹多出唐宋臨摹，惟右軍《快雪》、大令《送梨》二帖乃係手墨，玄賞之士自能辨之，不可與皮相耳食者論。其聲價久與《快雪》并列，的然真迹無疑。高廟御題三次，尤足寶貴。曾刻《臨江二王帖》《戲鴻堂》及《三希堂》等帖。余家物，久佚，今幸重價購回，可築真晋堂矣。

曾藏大令東山松，劫數何堪庚子逢。翠鳳翥雲犀破浪，吴琚跋尾筆猶龍。

王子敬《東山松帖》真迹，經《宣和書譜》《中興館閣録》《畫禪室隨筆》著録之件。有「紹興」「内府圖書」及「江寧開國」大印。五代林罕章草題，朱文公及劉涇題名押字。吴琚跋尾有「翠鳳翥雲，錦犀破浪，使人神遠」之句。筆法飛舞，置之米迹中不辨。明世爲姜二西藏物，非孫退谷見於曹秋岳處米臨者比。惜庚子變亂，余於奉天冬間失之矣。

底本虞書孔廟堂，趙嚴朱項遞相藏。京江張氏傳家寶，二百年來出上方。

虞永興底本《廟堂碑》真迹册，經《雲烟過眼録》、《嚴氏書畫記》、《清河書畫舫》、吴其貞《書畫記》、《七頌堂識小録》、《石渠隨筆》均著録，又見於韓逢禧定武《蘭亭》榮芑本跋内，即《珊瑚網》、卞令之《書考》所載《東觀帖》也。宋末在趙與懃家，明世歸嚴嵩，後爲朱成國折俸所得。朱乏嗣，復售諸項氏，明末由項歸京口張修羽，便爲京江張氏世寶。康熙初入大内，甲午歲末流傳出世，福山王文敏得之，未加考定，竟與陶齋易馬，今歸余，物各有主也。

異趣兩行梁武帝，肯堂題筆誤官奴。大令小字官奴。悦生別録堪爲證，真鑒終須讓董狐。

梁武帝《異趣帖》，經《清河書畫舫》，《南陽法書》、《清河秘篋》二表著録。董文敏曾刻《戲鴻堂帖》，王肯堂復刻《鬱岡齋》，改題爲王子敬書，莫衷一是。國朝經純皇御鑒跋識，改題從董，并刻入《三希堂帖》中。自是天語增重，藝林始知爲梁武帝書。其實宋賈似道《悦生别録》中《異趣帖》早題爲梁武，尤堪爲董狐作證，於以見香光品題字畫不苟，有依據耳。陸氏穰梨館壓卷物，今售余。

虞迹從來無處尋，汝南志草最銘心。幸存唐世弘文印，莫漫人疑是米臨。

虞永興《汝南公主墓志》起草真迹，宋明已來歷經著録刻石之物。王弇州、張青甫因米老有臨本傳世之説，遂疑此迹出米，殊不知米臨本字勢肥而長，見文衡山《甫田集》，與此迥别。周密《雲烟過眼録》云，虞永興汝南志草在郭北山御史家，後有米跋，俱真。今此迹郭氏藏印纍纍，惟米跋不知何時佚去，况有唐世「弘文」之印，堪爲左證，後之質者勿惑於王、張之説也可。

千文半卷憶高閑，元代藏諸喬仲山。困學補書堪繼美，失於庚子閏秋間。

高閑上人草書《千文》，存後半卷，前半卷係鮮于困學補書。按《困學齋雜録》云係趙明誠故物。余家物，今歸喬仲山。此卷尾有喬氏墨印并「樞」字印，每鈐縫有「箕子之裔」朱文方印，連於鮮于補書。《墨緣彙觀》著録係半卷，《式古堂彙考》有鮮于補書，李氏愛吾廬先後得之合裝。唐紙堅潔光厚，墨氣淳古。余最心賞者，惜庚子閏秋失之。

唐迹傳今已景雲，篆書著録恰無聞。我生何幸眼多福，得向陶齋看説文。

唐寫本《説文·木部》，六紙卷，有米友仁、俞松題記。自宋明已來未見著録，至我朝咸、同間莫子偲得之，徵當時聞人題跋，始顯於世。後質於徐紫珊，近歸陶齋師處，價頗不貲。唐寫卷子本書籍，世已罕見，此卷乃係篆書，精勁絶倫，且有宋人題記，尤可寶貴。

曾見素師山水帖，海王村上我迂疏。歸家檢閲宣和譜，始識竹窗誤論書。

懷素《山水帖》卷，高江村題作《論書帖》。余於甲辰歲杪在海王村市上見之，聞係湖州陸存齋物，因與《墨緣彙觀》所載《論書帖》紙張、行款均不相符，故未攜回鑒别。歸家檢閲《宣和書譜》，始識爲《山水帖》，江村誤題爲《論書》，載在《銷夏記》中。次日往觀，已爲張野秋世伯所得。物各有主，固有定數，然吾輩鑒閲書畫，萬不可輕心放過，若落筆，尤當引江村此題爲戒。

金書鐵券賜錢鏐，千百年來謝表留。羅隱幕中代脱稿，伯温跋尾青田劉。

唐羅昭諫代吴越王錢鏐《謝賜鐵券表》稿，有劉伯温、厲衣園、李世倬等跋。宋元已來未有著録，惟國朝錢梅溪《履園叢話》中載之。

經傳七寶轉輪王，天壤閣中所弆藏。鍾可大書當有誤，貞觀年寫記初唐。

唐人《七寶轉輪王經》卷，末有貞觀某年用大麻紙寫一行。明金幼孜跋，題爲鍾紹京書。隔界綾上有半山老人韓逢禧題，云此卷凡七千餘言，曾藏鮮于伯幾家，夜有光燭人者，非此其何物耶？細閲韓題，乃是題《靈飛經》者，不知何時移裝於此。且貞觀間可大尚幼，此卷字數不及二千，亦不相符。曾見刻石拓本，竟定爲鍾紹京書，當與世傳《靈飛經》同誤。念係唐初人，書又爲世好，所藏雖非鍾書，亦可寶也。

三虞堂論書畫詩卷下

完顏景賢 撰
太平蘇宗仁厚如編次

出像洛神繪愷之，形如畫壁武梁祠。龍眠摹古推藍本，此卷曾藏洗玉池。陶齋尚書藏。

晋顧虎頭《洛神圖》卷，絹本，繪洛神之像，沉著奇古，尚有漢魏畫像遺意。後有董跋。梁真定相國物，《墨緣彙觀》著録。細驗卷尾，有「洗玉池」朱文印，係李龍眠曾藏之品，洵屬龍眠摹古藍本，非陳洪綬輩所能夢見，猛菴之詩何阿好老蓮之甚耶！而「洗玉池」印爲李龍眠所用，見於何書，徵之當代賞鑒自負者，恐亦知之者鮮。余惟鑒别書畫不肯讓人，小子狂妄，幸恕之。

閻相校書圖半卷，衣冠人物認高齊。惜其久佚涪州跋，幸續范韓陸謝題。

唐閻右相《北齊校書圖》卷，絹本，自宋元已來歷經著録，的然真迹無疑。惜缺佚半卷，當係北宋文禁之際，并山谷跋爲人挾去耳。後有范石湖、韓南澗、陸放翁、謝艮齋及郭見義宋人五跋。細閲范、韓跋語，南宋時已存半卷，究無害於名迹。且卷中宋世官印有十餘方之多，雖覺側斜，尤資考證。麓村以爲可厭者，余更以爲可愛也。

韓家名畫表南陽，鎖諫圖觀記上詳。暗笑富商徒抱古，何曾筆法識閻常。

唐畫《鎖諫圖》，絹本，世傳有閻立本、常粲二卷。明世曾藏於韓存良家，《南陽名畫表》并列入。此卷係閻畫，有王百谷、韓逢禧題。曾入《石渠寶笈》，經純廟御賞題識。畫法沉古，當與《校書圖》媲美。余自上海於某富商家見之，歎爲奇觀。富商亦頗知珍重。余始喜其嗜古，究勝作守財虜。及至談常粲亦有此作，彼竟茫然不能達。然則彼寶貴此卷之意，惟在璽跋，亦徒負其有而已。記之以博一笑。

人物曾觀王右丞，書簽六字宋思陵。伏生寫像鬚眉古，宋世留題吴傅朋。

唐王右丞寫《濟南伏生像》卷，絹本，自宋元明已來歷經著録，畫法高古。有宋内府號數一行，係半字，又宋思陵在押縫題「王維寫濟南伏生」六字，後有吴説觀款。

卷中收藏印章繁多，其不常見者，嚴嵩家製褒忠孝一印。卷尾有宋牧仲、朱竹垞、劉石菴等跋。流傳有緒，至爲精美。現藏山左陳壽卿後人家，余曾以千金議值未果者。

黄麻一卷五牛圖，辣手描來筆意麤。天府儲藏韓滉畫，誰期庚子竟歸吴。

唐韓晋公《五牛圖》短卷，黄麻紙本。世傳唐畫最有名者，歷經著録，毫無疑義。畫法奇古，描法全以辣手麤筆出之，非戴嵩、厲歸真可企及。後有元趙文敏行楷三跋，孔直表一跋，國朝金冬心一跋，亦不多見。純廟御筆書簽，題識數次，卷尾臣工恭賀御製詩，有十八人之多。聞係向藏南海之品，庚子秋變失出，竟爲一洋商吴姓所得。余曾寓目，奇寶也。

絹如銀板細無紋，緑樹紅樓隱自雲。曲盡春山遊覽景，北宗畫認李將軍。

唐大李將軍《春山圖》卷，絹本。色若銀板，細若無紋，蓋唐法製熟絹用粉砸者。此卷設色濃古，用筆鬆秀，靈動不滯，非千里、十洲所及。明李西涯、陸水村皆題寫李將軍作，然是父是子，究無定論。偶從陶齋借閲數日，檢查著録各書，張青甫《書畫見聞表》係入大李將軍列，都玄敬《寓意編》云大李將軍《踏錦圖》上有思訓小字款者，與陳湖陸氏《春山圖》筆法一類。然則此卷之爲雲麾將軍，似有據矣。

畫馬唐元二妙圖，秋郊飲牧迥相符。范陽節度精心作，天水王孫著意摹。

唐裴寬畫《小馬圖》，絹本，寫秋郊飲牧之景。《宣和畫譜》所載惟此一卷，世無別迹。《畫鑒》所謂「蕭散閑適，筆墨甚雅」者，自元明已後未見著録，湮没無聞。余先得松雪《秋郊飲馬圖》，後有柯丹丘跋，謂與裴寬《小馬》氣韻相望，豈公心摹手追，有不期然而然之語。偶於吴門復得裴馬卷，中有宣和、稽古殿璽印，與趙畫布景符合，更覺設色濃古，氣韻淳厚，亦時代使然。因合裝一卷，可謂二妙圖矣。

款書章草認烟波，逸品畫傳張志和。高米雲山推鼻祖，圖存半卷譜漁歌。

唐張志和《漁父詞圖》半卷，紙本，堅潔光厚，摸之如緞，千餘年并未昏暗，與舊藏高閑《千文》卷係一類紙。款在卷尾，「烟波子」三字章草書淳古之至。下押小方銅印，一是「張」字，一是「志和」，二字俱朱文古篆。畫法高逸，雲山烟樹毫無筆墨痕迹，山石兼作没骨，有空勾未皴者，以花青填之，尤覺奇異，米高畫法脱胎於此。考張畫世無别迹，宋元著録惟此《漁父詞圖》一卷，即因魯公贈漁歌所仿者。此係下半卷人物、舟梁、烟波之景，其鳥獸、風月二段當在前半，不知何時爲人割裂，尤物忌完信哉？

羅漢神奇繪貫休，衣紋水荇汎清流。信其書法追懷素，八字留名筆力遒。

唐釋貫休繪《水墨羅漢五祖授六祖衣鉢圖》，絹本長卷，絹素極粗，尚完好。畫羅漢相貌奇古，與《益州名畫記》所論胡貌梵相符合。衣紋只數筆，描如水荇汎波，更覺簡逸。卷尾下角款作草書「貫休畫於和安禪院」八字，頗似懷素。昔人謂貫休畫法立本，書法懷素，益信此卷非元明僞托之品。後有靈隱普濟跋，即松雪曾書《濟禪師塔銘》之宋世高僧，其迹惟見宋槧《五燈會元》書序，亦所罕覯者。元明僧數跋皆係題於禪院，末羅六湖考論甚詳。

周文矩有傳真筆，像寫羲之與獻之。畫卷今藏天壤閣，瑯琊書派衍宗支。

南唐周文矩畫《羲獻像》卷，絹本。衣紋作戰筆，蓋用其主鐵鈎鎖法。鬚眉古雅，神情現於縑素，爲羲獻傳真第一。歷經著録之物，現藏福山王氏天壤閣，余見於漢符觀察手。漢符乃庚子殉難文敏公次子，頗能以善書傳家法者，宜世守此卷耳。

麓雲樓書畫記略

序

人處宙合中，必使心有所寄，而後抱蜀持簡，以葆其渾然之誠。大之文學事功，小之居處玩好，事無洪細，其理一也。予生平無他嗜，獨於古人書畫訢合若有神契。先世藏弆，經亂殆盡。通籍後宦遊燕趙，或遇故家，或過古肆，縱目流覽，其佳者至夢寐弗忘，自此留意搜集，二十年來所蓄約百數十事。惟宋元真迹則以其難遘而值又昂，僅得十餘幀。又性不喜綾絹，非極難極精者不收，故百數十事中祇一卷一册一軸而已。區區此集，固何足言鑒藏，更何足言記載？但滄桑屢變，名迹日希，竊亦未敢自輕以輕古人。夫以予犇走南朔，無二頃之田，無一廛之庇，獨此零縑尺素，不啻性命視之，自謀若甚拙，顧性既與之相契，則即以寄吾之心。每當髹几明窓，朝夕展玩，得與古人精神相接，其受益誠有無窮者。雖然自古無聚而不散之物，凡茲爲吾有者，亦猶吾之寄吾之心，而寄於吾焉，已爾知其爲寄，則聚固吾幸，散亦理之常耳。今者杜門閑静，因取所藏，詮次成帙，顧暑熱殊甚，未能致詳，略述梗概，聊以志古緣之萃合，并以眡夫世之同好者。壬戌六月汪士元自記。

麓雲樓書畫記略

汪士元　撰

宋徽宗晴麓横雲圖軸

紙本水墨兼淡設色，長四尺七寸餘，闊一尺九寸餘。重巒複嶺，出没烟雲，林木村舍，遠近掩映。造境用筆精妙不可思議，洵爲瓌寶。紙質尤完潔難得。瘦金體「晴麓横雲」四字，鈐用御寶一方，在圖左上。畫左下角有趙孟頫印章兩方，紙微損闕，文尚可辨。《清河書畫舫》著録。

陳用志吉羅林菓佛像軸

紙本設色，長六尺七寸，闊二尺二寸餘。佛像一軀，菓樹一株，金筆勾勒，青緑積厚如錢。畫法奇古，宋後無此作手。畫右下角署「陳用志敬摹」五字，隱約可辨。紙色雖舊，光潤可鑒。上有「宣和御覽之寶」「貞明内藏」兩方印，「儲古中秘」葫蘆印，「耀年」「體堯」兩圓印及「遠渚」「用拙」兩印。左邊尚有抱龍圓印、方印各一，字文不辨。下有「龍圖閣直學士楊時藏」「鄞姚安道師德静學齋」「項子京家珍藏」及「時儼之印」「楊又雲珍藏書畫記」「松齋」諸印。其餘印章尚繁，不備載。原裱邊絹有天祥寺寶藏印，現裝宋側理紙邊收藏諸印係藏紙印記，雖與此畫無涉，自亦天然妙合。

蘇文忠潁州禱雨紀事墨迹卷

紙本，高九寸，長三尺九寸餘。行書二十九行，紀守潁時禱雨禨事二則。筆酣墨舞，姿趣横生。公集《聚星堂雪》《禱雨張龍公既應》諸詩均足印證。後紙董文敏題，再題於隔水絹上，前後有項墨林收藏諸印。

元文宗臨晋祠銘永懷字卷

墨拓御筆親刻「永懷」二字，方四寸八分，鑲以描金淺碧雲龍庫綾，鈐用御寶兩方。書法圓勁，逼肖右軍。另紙康里子山小楷恭題紀恩兩則，高八寸六分，長一尺四寸。後紙董文敏及翁覃溪、余秋室、王子卿、黄小松又翁覃溪諸題，又紙楊守敬題，有歸希之印。《湘管齋寓賞編》著録。

錢舜舉并蒂蓮房圖卷

紙本墨筆，高八寸，長二尺六寸，款在圖右。花實三，莖蕊一，葉九，襍以荇藻水蓼，神情淡逸，有惜墨如金之妙。後紙辛敬、吴仲圭兩題，有「逸品」「吟餘清賞」「某谷」諸印。

吴仲圭蒼虬圖軸

紙本墨筆，長三尺九寸餘，闊一尺七寸餘，款署圖左，并題。古松兩株，枝榦盤屈，夭矯有神龍見首之勢。筆如勁劍，墨若古漆，此圖足以當之。詩斗董文驥題「吴仲圭蒼虬圖」六字。曾爲項墨林所藏，四角均有項氏藏印并編紀號數。詩斗有畢澗飛藏印。

倪雲林書翰卷

紙本，界朱絲闌。上留空紙約五寸，中書篆體「静寄軒」三字。下分十五行，首兩行騎書篆體「静寄軒詩文」五字，餘作行楷十三行，像贊一節，絶詩四章。筆法峭逸，不啻仙子淩雲。有嘉慶寶璽五方，「郝璋玄印」「云門山房」「山友」「士行甫」「冰谷」「洪楠之印」「蔡伯海印」「東吴王蓮涇藏書畫記」諸印。

趙孟頫古木竹石卷

紙本水墨，高八寸餘，長二尺，款在圖左。信筆點染，神完氣足，不但六法俱備，并可旁通篆籀。後紙自又重題，并柯九思題。又紙危素、王行、盧充損及羅天池諸題。有梁蕉林、李君實、謝淞州、葉東卿、伍儷荃、李竹朋、李芝陔、李韻湖收藏諸印。

吴孟思篆隸合卷

紙本，高九寸，長一丈四尺八寸餘。界烏絲格，前作隸書《離騷》，後作篆書《千文》，前後三千數百餘字，通體無間。傳稱孟思於古文款識制度考究甚深，故筆底精妙乃爾。華淞題引首，張雨、杜本、黄清老題於本幅，後紙戴洙、蔡宗禮兩題。曾爲王虛舟、戴培之所藏。

楊鐵崖海棠城詩卷

紙本草書，高九寸餘，長二尺一寸餘。書法豪邁奇崛，古今獨步。王夢樓題引首，後紙彭紹升、許乃釗兩題，又紙楊守敬題。有項墨林、年羹堯、畢澗飛、陸謹遲、吴平垒收藏諸印。

顔秋月鍾進士元夜出遊圖卷

紙本墨筆，高八寸餘，長六尺三寸餘。窮形盡態，筆墨入神。圖紙無款，後紙俞紫芝題中謂爲顔秋月所作，又吴匏庵題經項墨林收藏。

戴文進仿燕文貴山水軸

紙本水墨，長三尺一寸餘，闊一尺四寸餘，款在右方。墨光瀋宕，畫境純是元人，迴與常筆不同。董文敏題於本幅，亦以其不作平日本色，稱爲可貴。

劉完庵贈沈石田山莊留别圖卷

紙本水墨，高一尺餘，長二丈五尺二寸，圖後餘紙長題。完庵畫筆傳世本少，似此長幅一氣到底，細處如界畫，粗處如篆籀，生平傑作，殆無二焉。後紙沈石田題亦倍致珍重。有「藹庵林下一人」「梁生鑒定」「全慶堂」「同齋」「玉堂中人」「粒民珍藏」諸印。

姚雲東煮茶圖卷

紙本設色，高約九寸，長三尺六寸餘，款署圖上右方，并隸書「煮茶圖」二字，後紙復作長題。筆意全仿黄鶴山樵，巖壑陡立，懸瀑如練，長松叢竹，遠近掩映。澗邊茆屋明敞，兩翁酌茗坐話。意境静逸，氣息入古。有乾隆、嘉慶兩朝寶璽九方。後歸恭邸，曾經汪季青收藏，尾紙徐琪題。

杜東原華山深秀圖軸

紙本墨筆，長三尺，闊一尺一寸，署款并題在左上。峯巒雄秀，樹木華滋，筆端凝鍊之氣卓然直接元賢。有「休甯朱之赤收藏圖書」「朱之赤鑒賞」「第一希有」「子孫寶之」諸印。

杜檉居九芝如意圖軸

紙本墨筆，長三尺，闊七寸餘，署款在右上。長松一株，芝草九莖。二杜書名極重，但不輕作，此幅雖係小品，當以希有爲貴。圖上接紙石田翁題。有乾隆寶璽五方。

沈匋盦仿梅道人山水軸

紙本設色，長四尺一寸餘，闊一尺三寸餘，署款在右上。渾樸雄古，梅花老衲衣鉢直舉以傳之此翁，并知石田畫筆皆南齋昆季有以啓之。有「楊子審定真迹」「儷荃鑒賞之章」「南海伍氏」「古歙曹氏濟原鑒藏」諸印，餘印尚繁，不録。

沈石田仿大癡富春山圖卷

紙本設色，高一尺一寸餘，長二丈七尺三寸餘，圖後餘紙長題。運筆古勁，施色融淡，不以纖細爲能，亦非粗率之比，是能萃董臣之長，而入癡翁之室者。後紙姚公綬、吴匏庵、文壽承、董思翁及謝林邨諸題，周天球觀款一行。經王烟客、宋牧仲、孫平叔收藏。《大觀録》稱所見石田長卷，以此與《大姚村圖》爲傑作。

沈石田仿古山水人物册

紙本墨筆，十頁，高一尺餘，闊一尺九寸餘，每頁題揭圖筆所本。石田摹古之作百不一見，此册仿效各家，墨透紙背，筆可屈鐵，大有氣吞時輩、平揖古賢之概。先經南昌萬淵北收藏，後歸嘉定徐氏。

沈石田卧游册

紙本設色水墨，共十一頁，高八寸餘，闊一尺二寸。自題引首，書「卧游」二字，又跋後一頁。山水、花卉、翎毛，隨興點染，逸趣横生。曾爲朱卧庵所藏，有查映山收藏諸印。

沈石田仿黄鶴山樵山水軸

紙本設色，長三尺八寸餘，闊一尺九寸，署款并題在左上。山巒樹石均細筆皴染，略敷淺色，意境精密，氣象宏深，與《廬山高圖》同爲肆力橅仿叔明之作。曾爲方夢園所藏。

文衡山劍浦春雲圖卷

紙本設色，高九寸餘，長二尺八寸，隸書署款并題在圖左。此圖爲朱升之出守延平作，山光雲氣，蕩漾欲流，氣息直逼唐宋。引首徐霖題「循良屬望」四字，後紙馮蘭、吕柟、豐熙、張琦、吕元夫、祝允明、謝承舉、徐霖、唐寅、崔銑、史巽仲、陳沂、易舒誥、吕夔、穆孔暉、羅輿詠漢循吏十六首，王欽佩《兩漢循吏贊》十八首，又杭淮、段炅兩題，桐溪陳德大書籤。有「還香室攷藏」「新安巴氏秘笈之印」「雪坪之印」「師橋讀畫印記」「逼軒讀畫」諸印，并經金蘭坡、程氏尋樂齋、歸安陸存齋收藏。

文衡山山水卷

紙本設色，高七寸餘，長一丈一尺三寸餘。畫後餘紙長題。踈宕秀逸，不作平時本色，是中年肆意摹古之作，觀其題語亦頗自矜重。

文衡山石湖草堂圖軸

紙本墨筆，長四尺五寸餘，闊一尺餘。山勢蜿蜒，臨湖結屋，一人憑几觀書，有悠然自得之致。圖上自書長記。有「湘舟心賞」「玉峯貴謙心賞」「楊氏寶藏」諸印。

文衡山蕉石鳴琴圖軸

紙本墨筆，長二尺六寸餘，闊八寸餘。此圖係爲善琴高友作，蕉石之側，一人席坐撫琴，意態静適，非無聲詩，直有聲畫也。更以精楷《琴賦》并於圖上，徇知之筆，宜其精妙乃爾。

文衡山桃花軸

紙本設色，長一尺六寸餘，闊一尺餘，無款，有「徵」「明」朱文聯珠印。用筆敷色精妍有致，鈎寫之精，皆胎息宋本。有乾隆寶璽五方。

文衡山鬭雞圖軸

紙本墨筆，長一尺七寸餘，闊九寸餘。兩鷄峙立作鬭，奕奕如生，兼以點綴清幽，筆墨工細。上作精楷鬭雞詩，闌以烏絲，誠小品中之極佳者。有「閔曠齋珍賞印」一方。

唐六如怡閒圖卷

紙本設色，高九寸餘，長四尺七寸餘，款在圖右下角。蕉葉一叢，張榻其前，一翁坐榻上，盈置卷軸。景物悠然，殆居士爲己寫照。引首吴奕篆書「怡閒」二字，後紙祝允明、張珍、都穆、王烈、謝雍五人題詠，又紙高江村及蔣廷棟、高岱三題，并干宸儁觀款。先藏宋牧仲，轉貽高江村。觀江村題跋年月，已在《消夏録》成書之後，故未著録。後爲吴中程楨義所藏。

唐六如菊石軸

紙本墨筆，長四尺三寸餘，闊一尺七寸餘，署款并題在右上。鈎寫花葉，清逸出塵，畫石全用渲托，墨氣至今猶濕，題字亦飛舞有勢。

仇十洲八駿圖卷

紙本白描，高九寸餘，長六尺二寸餘。作圉人二、馬八，勾勒渲染無一筆無來歷，龍眠、天水殆亦無以過之。圖無款字，左右下角有文從簡、金俊明印章，後紙文從簡、陳邁、金俊明、方夏諸題，定爲實父所作。

仇十洲人物册

紙本白描，八頁，高七寸，闊一尺四寸，每頁有款。人物均寓故實，用筆工中夾寫，具奇縱飛動之勢。端匋齋題籤稱爲海内第一，後有周天球題、彭年觀款及徐紫珊題。有「梁章鉅印」「曾在雲間金匏之處」諸印。

仇十洲沛公倨見酈生圖軸

紙本設色，長三尺九寸餘，闊一尺三寸，款在左下。屏一牀一，沛公赤足倨坐，兩女子伏地洗濯，鄺生負劍前立作長揖狀。結構謹細，運筆如絲，屏幛中施以水墨寫意山水，尤見匠心。文徵明用山谷筆法節書《史記》於上，堪稱璧合。費屺懷書籤。曾藏金瘦仙處。

周茂夫索綯圖卷

紙本墨筆，高九寸餘，長約一尺九寸，款在圖右。老嫗一，少女一，中横二綫。少女據地，併執一端，老嫗屈足欹坐，一綫繫於足指，一綫兩手夾持，作索綯狀。用筆勁細，情態如生。後紙文彭、周天球題，有戴培之、景劍泉收藏諸印。

項子京桂枝香圓圖軸

紙本水墨，長三尺三寸餘，闊一尺一寸餘，圖上長題。枝葉秀勁，筆墨圓潤，允推逸品。下有「項氏懋功」印一方，并題「皋謨鑒賞」四字。

陸子傳拙政園圖軸

紙本青緑，長約三尺九寸，闊八寸，署款并題在上左。筆致綿密，色澤精新。圖上錢叔寶、涵峯兩題，有「琅琊仲子」「墨妙閣」諸印。

錢叔寶鍾進士移家圖卷

紙本墨筆，高九寸餘，長五尺一寸餘，係臨摹元人之作。奇情異態，樵寫盡致，墨彩尤深厚入古。後紙照録原題五則，并記始末。後有黄姬水、張鳳翼、周天球、王穉登、王世貞、王世懋、沈明臣諸題，周天球并題引首。有「元高」及「顧氏家藏」諸印。

錢叔寶虎丘圖軸

紙本設色，長二尺二寸餘，闊一尺，款署圖左。虎阜諸勝大致畢備，用筆精簡，不愧文門高足。圖上陸子傳精楷《虎丘記》，尤爲難得。

姚東齋龍池曉雲圖軸

紙本青緑，長四尺，闊一尺四寸餘，款在左上。山光可挹，雲影欲流，秀潤恬静之氣悠然滿紙。紫霞翁有此繩祖之孫，家法不墜矣。圖上楊玘隸書題「龍池曉雲」四字。

祝枝山書南華經内七篇卷

藏經紙本，小楷，高六寸餘，長約一丈九尺。枝山一生作字殆將恒河沙數，但似此精楷長卷當亦有數之作。後紙董思翁題，有「徐溝土氏家藏」「芃園寶藏」「王啓恩鑒定書畫真迹」諸印。

祝枝山飯苓賦軸

紙本行楷，界朱絲闌，十四行，長四尺五寸餘，闊一尺八寸餘。結體疎宕，轉折輕圓，筆意似法張即之。經陸潤之收藏，有「渭南伯後」「莔林曾觀」兩印。

王雅宜書離騷卷

藏經紙本，草書，高九寸餘，長一丈八尺三寸餘。淵懿樸茂，直入鍾王之室，兼以紙墨潤厚，益覺古色奪目。附書《太史公贊》，字體略小。經項子京收藏，本幅有行楷題識極精，後紙末又記得自某處并時值若干。《式古堂書畫彙考》著録。

陸包山蔡九逵詩畫合册

紙本設色，十頁，高八寸餘，闊約一尺，款在末頁。以詩意作畫境，山水人物悉臻精妙。蔡詩十頁有半，分裝對頁。册首許初題「歷示遊言」四字。曾爲金匱孫叔平所藏，有「心香閣鑒藏印」「挺之過眼」「石壇王籍」「畢氏家藏」「海梯審定真迹」諸印。

陳沱江梨花白燕圖卷

紙本設色，高九寸餘，長三尺九寸，款在圖右上方。月下梨花一株，兩燕雙飛。筆勢生動，渲染淡雅，憮寫黄昏庭院景象，腕底疑有仙氣。後紙烏絲闌文徵明、顧聞、陸之裘、文彭、張鳳翼、文仲義、文嘉諸題，有歸安章紫伯、程氏尋樂齋收藏諸印。

文五峯南溪草堂圖卷

紙本設色，高一尺一寸餘，長二丈二尺八寸餘，款在圖左上角。山岡起伏，溪水縈環，屋宇亭榭布置井然，兼以漁莊、村舍、藥圃、菜畦，無不應有盡有。其中體物之細，搆局之精，未能殫述，每一展讀，輒令神往。後紙王百谷撰《顧氏重建南溪草堂記》，羅王常書。圖右下角有「顧九錫印」一方，與圖款所稱天錫相合，疑即草堂主人。又有「譙國世玩」「巢南鑒賞」諸印。

文五峯重巖懸瀑圖軸

紙本水墨，長四尺八寸餘，闊一尺五寸餘，款在左上。皴染章法全仿黄鶴山樵，紙色嶄新，尤足快心爽目。有「安瓚鑒定」一印。

義獻。

文休承山水軸

紙本設色，長四尺三寸餘，闊一尺八寸餘，題款上方居中。點染精妙，不愧雁門

文壽承墨竹卷

紙本墨筆，高八寸，長二尺八寸餘，款在畫右。文氏昆季畫筆，壽承最所少見。此卷作垂竹一枝，墨彩奕奕，深得與可家法。後紙祝世禄、臧懋循、章嘉楨、湯焕、汪世湘、胡應麟諸題。

尤鳳丘水亭消夏圖軸

紙本白描，長四尺餘，闊一尺四寸餘，款在圖左下角。峯巒層峻，溪澗縈廻，臨流亭榭數楹，一人跨馬行橋上。意境清幽，筆墨潤潔，兼以界畫之工，人物之細，儼然十洲畫之至精者。圖上乾隆御題，有寶璽十五方。

吴文仲武夷九曲圖卷

紙本設色，高八寸餘，長一丈一尺餘，款在圖右上方。武夷諸勝，無不曲盡其妙。

敷色皴染均别具面目，不落恒蹊。後紙顧揆、龍鐸兩題。

戴康侯劍閣圖卷

紙本水墨，高九寸餘，長九尺五寸，款在圖右上方。筆勢縱横，墨光沈鬱，棧路艱險之狀歷歷可覩。後紙高松聲、釋智舷、陳元素、徐期生、周裕度諸題，高松聲并題引首。有「吴興陳丙綬」「箕谷清賞」諸印。

謝樗仙岳陽樓圖卷

紙本設色，高八寸餘，長四尺四寸餘，款在圖右上方。山色湖光，蕩漾紙上。樗仙善於畫水，此卷可見一斑。後紙周天球書《岳陽樓記》，高與前同，長七尺一寸餘。圖紙有郭天門題，并高岱色、叔美、周小業諸印。

沈子居長江萬里圖卷

紙本設色，高九寸，長三丈一尺九寸餘，款在圖右下角。此係傳鐙之作，子居畢生能事殆盡於斯。廬山一段松柏蒼翠，寫景尤臻妙境。梁山舟題引首，後紙董文敏、陳眉公、楊龍友三題，又紙王光承題。有李竹朋、金蘭坡、徐頌閣收藏諸印。

戈樂莊山水軸

紙本設色，長四尺二寸餘，闊一尺二寸餘，左上長題。氣息深厚，鈎染入古，樹法尤槎枒有致。名雖不著，然自卓然成家。

馬湘蘭花卉册

紙本墨筆，蘭竹、梅花、水仙八頁，高五寸餘，闊九寸餘。蒼潤圓勁，深得元人三昧，不得以女史圖繪目之。每頁詩款均出己手，娟秀可愛。好事者以湘蘭小像端硯墨搨一紙，又以貝葉兩片重摹并贊嵌裱於上。曾爲陸潤之所藏，手録王百谷所作小傳、各家輓歌及百谷本傳并題册後。後歸石埭沈氏，題記印章甚繁，并有黄壽彭、劉位坦、吴郁生諸題。内有蠻女名格松者，用唐古忒書作「明月前身，美人香草」八字，頗饒别趣。

丁南羽蘭芝圖軸

紙本墨筆，長四尺餘，闊一尺八寸，篆書署款在左上。坡谷幽深，叢蘭茂密。靈芝秀石雜出其中，點染細緻，運筆生動。圖上董文敏題，字迹跌蕩飛舞，與畫相合。有「丹崖珍賞」「陳氏所藏」諸印。

孫雪居朱衣達摩軸

紙本，長三尺三寸餘，闊一尺餘，款在右下。神彩静肅，色澤鮮瑩。圖上董文敏題，有「伍氏曾觀」一印。

王忘庵花卉册

紙本設色，十頁，高七寸五分，闊五寸三分，每幀自題對頁。畫月季、緑牡丹、長春、萱花、玫瑰、菊花、水仙、罌粟、秋葵、山茶十種，敷色秀妍，用筆勁細，其工雅兼到處，是寫生家獨樹一幟。册後王廉州、顧辟彊、王鐵夫三題，改七薌觀款一行。册首題「爰得我娱」四字，款署詣字，下押朱文「湜菴」、白文「正詣」「三近」兩印，其人未詳。先藏東吴高氏，後歸王鐵夫。

詹景鳳山水軸

紙本水墨，長二尺八寸餘，闊九寸餘，上方左右自題二則。畫境蒼逸，墨氣潤漬。白岳爲著作大家，胸襟淵曠，故隨意點染，不落時習，其畫筆傳世極少，致足珍也。

藍田叔徐階平合作浴硯圖軸

紙本設色，長四尺四寸，闊一尺四寸餘。徐階平寫人物，款在右下；藍田叔補蕉石，題在左上。題中首句僧儒素有研癖云，審其字義殆是逸民一流。而圖中寫士女一，俯盆洗硯，并無僧儒其人。題末有云：「願僧儒生生與斯人斯硯團圞作浄業緣。」畫意頗耐尋味。有「吉人懷貞」「矢月櫺」「寶硯堂」「卧硯廬」「慕貞隨吉廷吉世貞」「慕貞須認我」「永矢貞吉」諸印，殆皆僧儒藏記，并疑慕貞即女子之名，廷吉即僧儒之名。曾爲端谿何氏所藏。

黄圯人仙媛幽憩圖軸

紙本設色，長四尺二寸餘，闊一尺九寸餘，題款上方居中。作士女一，薄袖輕裝，欹坐石上，含情欲語，麗媚迎人，描寫眉髾尤有獨得之妙。

吴梅邨山水軸

紙本水墨，長三尺六寸，闊一尺五寸餘，詞款在右上。筆圓墨潤，真有嫩處如金、秀處如鐵之妙，畫境與廉州相似。

董香光仿古山水册

紙本水墨，八頁，高七寸六分餘，闊四寸七分餘。題仿大癡、雲林、海嶽三頁，餘止署款，藏經紙對頁自題。冲淡幽深，有不必求似古人、須使古人就我之概。每頁高宗以藏經紙横題絶詩嵌裝畫上，前後有乾隆寶璽十五方并「董氏家藏」一印，餘不備載。《石渠隨筆》著録。

董香光江村落照圖軸

紙本墨筆，長四尺一寸，闊一尺六寸，題在左上。乾筆皴染，兼用焦墨勾剔，樹禿山空，寫出荒瑟景象，董畫中變格之作。曾爲潘季彤、王鶴舟收藏，餘印從略。

董香光寫朱晦翁詩意軸

紙本設色，長五尺餘，闊二尺餘，題在左上。林巒沈厚，點染渾成，全是北苑家法。有「富春董氏攷藏書畫記」「金匱孫爾準平叔氏鑒定之章」諸印，餘印從略。

程孟陽騶然圖卷

紙本，起首淺設色，入後水墨，高八寸餘，長八尺餘，題記署款在圖右上。作園林小景，幽淡沖和，掃盡時習。前半作而未竟，越數年後始足成之，故設色水墨，首尾不同。後紙宋比玉及張船山、陳曼生諸題。經葉雲谷、潘季彤收藏。

張爾唯山水軸

紙本墨筆，長三尺二寸餘，闊一尺五寸餘，款在右上。蕭秀簡逸，得大癡之神。九友中太守畫筆最爲希有，此雖紙素稍遜，亦當什襲。有「高士奇圖書」一印。

邵瓜疇泉壑寄思圖軸

紙本水墨，長三尺五寸餘，闊七寸餘。筆法縱逸有姿，圖上長題字大經寸，堪稱雙絶。

楊龍友山水卷

綾本水墨，高八寸餘，長一丈三尺四寸餘，題款在畫後。風捲雲舒，有天馬行空、不可一世之概。龍友畫筆雖小幅，世亦争寶，况此長卷磅礴，能不球圖視之。

李長蘅山水軸

紙本水墨，長四尺餘，闊約一尺，題在右上略中。氣韻蒼古，筆墨淋漓。邊紙畢潤飛、陸遵書、陸時欽諸先輩十人題跋，有「海上小蘧陳氏珍藏」「施定圃審定真迹圖書」兩印。

卞潤甫山水卷

紙本設色，高七寸餘，長四尺餘，款在畫右上方。淡雅雋永，筆意略師北苑。後紙邵瓜疇、文從簡、張敦復、金俊明諸題，金俊明仍書朱衮，自是尚未更易姓名。張敦復并題引首，隸書「湖山襟帶」四字，又紙徐增、劉湞、管瓏三題。曾爲南昌萬氏所藏。

王烟客仿古山水册

紙本，十頁，高八寸七分餘，闊七寸餘，畫後自跋一頁。以青緑仿子久，以水墨仿梅花道人、小米、雲林、黄鶴山樵、巨然五家，餘設色兩頁，水墨兩頁，未題師用某法，止署年月并款，摹寫入化，氣韻冲和。烟客精於鑒藏，閲古既多，故落筆有逢源之妙。内青緑一頁沈着蒼潤，尤臻絶詣。曾爲潘健盦所藏，有羅六湖觀款一行。

王烟客江山蕭寺圖卷

紙本水墨，高九寸，長九尺六寸餘，款在畫右上方。蒼秀清潤，中年經意之作。後紙陳觀西題，有成蓮樵、秦祖永、孫春甫、張子秋諸家收藏印。

王烟客臨黃鶴山樵喬柯文石軸

紙本水墨，長四尺，闊一尺五寸，款在右上。濃墨畫石，淡墨寫竹樹。老榦新篁，氣韻蒼逸。下寫風草滿坡，益臻神化。有乾隆寶璽五方。曾爲潞河張燕謀所藏。

王圓照仿古山水册

紙本，十頁，高九寸餘，闊六寸餘。仿王叔明、許道寧、陳惟允、倪高士、黃子久則用水墨，仿趙松雪、楊昇、惠崇、趙伯駒則用青緑，仿李營丘雪景微施赭色。題稱畫於梅花庵中，後有吴梅邨題，此即客於梅邨家中所作。徇知之筆，宜其更臻精妙。引首王烟客隸書「卧以遊之」四字。曾爲王鶴舟所藏，有吴邦治藏印。

王圓照白雲圖卷

紙本水墨，高一尺，長約六尺三寸，畫右長題。此卷爲葉子桐初思親之作，雲山葱鬱，取境荒幽，其設意用筆，非鈍根人所能領悟。王烟客、陳瑚、黃與堅題於本幅，引首烟客隸書「白雲圖」三字，後紙魏禧、范國禄、孫枝蔚、梁佩蘭、施閏章、王瑞宦、釋巖雲、杜濬、紀映鍾、趙起元、鄧漢儀、周雲驤、程恭尹、魏禮、陶璜、姜宸英、徐柯、蔡方炳十九人題跋。先經畢澗飛收藏，後歸潘氏海山仙館。有「莶林審定」「貞石賞玩」「德畬鑒賞之章」「寶惲書屋」諸印，卷見烟客題跋。

王圓照仿范華原山水軸

紙本設色，長三尺一寸，闊一尺六寸餘，題在左上。施色幽秀，神韻静古，用雨點皴法，凝重不滯，足徵名手。有金博古小印。

王石谷仿古山水册

紙本，十二頁，高一尺二寸七分餘，闊一尺三分。水墨仿鄭僖、盧浩然兩頁；淺色仿荆浩、曹雲西，及寫「桑野就耕父，荷鋤隨牧童」又「夕寒山翠重，秋静雁行高」詩意四頁；青緑仿王右丞、趙大年、劉松年、趙吴興，及補放翁詩意寫洞庭秋霽六頁。石谷畫每以綿密勝，是册獨以踈秀勝，氣韻入古，而仍以精鍊之筆出之。所見耕烟畫册，當以此爲甲觀。末頁雪景未署年月總款，其將留待徇知隨時補題耳。

王石谷山窗雨霽圖卷

紙本設色，高八寸餘，長一丈三尺餘，題款在圖後。蒼渾深秀，一變平時刻露之態。兼以盈丈長卷，通紙無接，尤徵一氣作成，有筆參造化之妙。曾爲蔡魏公所藏，有丁道良、沈翼、汪應鶴諸印。

王石谷仿李晞古尋梅圖軸

紙本設色，長三尺九寸餘，闊一尺七寸餘，款在右上。雪嶺數重，古柏兩株，山梅二三樹。一老人跨驢行坡谷中，童子負篚後隨，滿置梅枝，衝寒訪勝，意趣無窮。筆致高古，人物工細，爲石谷僅見之作。有「叔美審定秘玩」「襄平蔡琦攷藏」諸印。

王石谷仿米山水軸

紙本設色，高二尺四寸餘，闊一尺四寸，題在左上。山光雲氣，有吞吐變滅之勢，屋宇林木，點綴仍復有致，爲仿米別開生面，是能匠心獨運，專以點抹炫長者不足語此。

王石谷墨蘭軸

紙本墨筆，長二尺五寸，闊一尺三寸，無款，押白文「石谷」「王翬之印」兩方印。花葉數莖，天然秀韻，此爲石谷畫中别品。龔翔麟、沈岸登題於本幅。

王麓臺晴嵐環翠圖卷

紙本設色，高九寸，長九尺四分，款在圖左上方，後紙自又長題。皴染均仿黃鶴山樵，而仍以大癡作骨，此麓臺所以能獨樹一幟，卓然成家。圖紙接縫及末後有竹癡小印。

王麓臺仿高房山山水軸

紙本水墨，長二尺九寸餘，闊一尺七寸餘，題在左上。蒼潤勁秀，墨氣淋漓。有乾隆寶璽兩方。曾爲安麓村所藏。

吴墨井苦雨詩圖卷

紙本青緑，高六寸餘，長三尺八寸餘，圖後自題長歌。漁山圖畫少若晨星，卷册尤所罕見，此以青緑寫梅雨時景，重色點染之中，間用微墨渲暈，蒼秀鬱潤，曲盡陰晴變幻之狀，可謂奇筆。後紙許青嶼、侯秬園、王烟客三題，珠聯璧合，洵爲藝林珍寶。曾藏劉氏寒碧山莊，卷載烟客題跋。

吴墨井竹石軸

紙本墨筆，長三尺餘，闊一尺一寸餘，詩款在右上。運筆如鐵，用墨如漆，至風姿雨態，摇曳如生，猶不足以盡此畫之妙。有「王氏二如鑒賞」印一方。

惲南田山水花卉册

紙本水墨，十頁，高約一尺，闊八寸三分。仿巨然、米海嶽、陸天游、趙元、黄子久、吴仲圭山水六頁，自運輕鯈戲藻、蒲塘秋影、百合、芝石四頁。踈秀淡宕，滅盡筆痕，固非時史所能夢見，亦非他手所能仿擬，超妙至矣。

惲南田山水卷

紙本水墨，高四寸餘，長四尺二寸，題在畫右上方。邱壑點染似仿思翁，此與石谷論畫時乘興之作，經石谷長嗣藏之數年，重乞補題。海虞毘陵兩氏契合之雅，此卷足資談助。

惲南田蓼汀魚藻圖軸

紙本設色，長四尺三寸餘，闊二尺，款在左上。天機物趣，畢集毫端，即真境恐亦無此活潑。荇帶波光，蕩漾欲動，爲此圖點睛處。紙質潔白如玉，尤足珍愛。此乃南田畫幅中之極精者。畢澗飛書籤。

惲南田寫李青蓮詩意山水軸

紙本水墨，長四尺餘，闊一尺二寸餘，右方自題三則。南田山水向不輕作，此幅虚靈秀逸，不染纖塵，筆法用雲西氣韻，殆有過之，紙色亦新。合觀前幅，洵稱雙璧。

陳老蓮嬰戲圖軸

紙本設色，長二尺七寸，闊一尺餘，款在右上。嬰兒一手執小鼓作跳躍狀，神完氣足，筆致淵雅，若無款字，幾疑其爲五百年前名賢手筆。有「蕭山徐令德松年氏家藏圖章」一印。

陳老蓮草書軸

紙本，草書四行，長三尺九寸餘，闊一尺七寸餘。跌蕩離奇，自成一格，是書中逸品。

王孟津王屋山圖卷

紙本墨筆，高八寸餘，長一丈六尺餘。隨筆點染，古意盎然，皴點略師范華原。圖左上角小楷題款，圖後草書襍作十首。有李芝陔、李韻湖、畢海梯收藏諸印，餘從略弗録。

王孟津花卉卷

紙本水墨，蘭竹襍卉，高九寸餘，長一丈四寸餘，前後兩題。筆姿縱逸，墨氣淋漓。另紙題記同時觀畫諸人姓氏里邑，後紙何子貞長題，有「紅蕉館鑒賞」一印。

龔半千山水軸

紙本水墨，長五尺二寸餘，闊一尺五寸餘，款在右上。沈鬱之中仍寓踈秀之致，是能寓虛於實，非專以彌滿爲能。

鄒衣白三松圖軸

紙本設色，長四尺餘，闊一尺一寸餘，題在右上。長松三株，老榦勁枝，勾點蒼潤。

有「薖園清賞」「硯香過眼」兩印。

釋漸江山水册

紙本，十二頁，設色、水墨各六頁，高七寸，闊五寸餘，畫後自題一頁。漸江畫每多簡淡，此獨蒼厚，人謂其專摹雲林，蓋亦未窺全豹也。曾爲戴培之所藏。

葉榮木山水册

紙本設色，十頁，高五寸，闊六寸餘，無款，有印章。造境施色奇特古秀，用筆勁細有致。後有龔半千題。

金陵各家合作山水花卉册

紙本，十二頁。首頁龔野遺水墨山水，高七寸餘，闊一尺九寸餘，鬆秀淡逸，與習見不同；餘十一頁，每高八寸餘，闊一尺，樊圻、高岑、高遇、吴宏、謝蓀、柳堉、王概、鄒喆八人合作山水九頁，花卉兩頁，其謝天令設色荷花描寫如生，工不傷雅，尤堪叫絶。金陵各家以天令畫筆最爲少見，此册衆美畢備，而題款皆爲吕伴隱作，可謂珠聯璧合。

惲香山山水軸

紙本水墨,長三尺六寸餘,闊一尺三寸餘,題在右上。筆圓墨潤,揮灑自如,其氣息純出董巨。有「吴惟英國華書畫印」一方,即題中所謂「吾友國華」也。

項易庵山水册

紙本,青緑四頁,水墨四頁,高八寸二分,闊一尺五分,每頁有題。用筆遒鍊,設色精妍,非於宋元大家畦徑奥竅皆能心領神會,不克造此精詣。最愛夕陽老樹,渲染空遠,畫境如在紙外,青緑雪景,勾剔細膩,引人身入畫中。繪事至此,神乎技矣。

項易庵紀夢圖軸

紙本水墨,長二尺二寸餘,闊一尺,圖上長題。水村一區,作者與一女子艤舟同泛。意境幽遠,早年寄思之作,畫筆已自不凡。

項易庵杏花軸

紙本設色,長五尺一寸餘,闊一尺五寸餘。枝榦蒼勁,葧色妍潤。以寸餘楷書題詩圖上，尤爲奪目。有「曾在萬巽齋處」「夢華」印兩方。

張大風吟梅圖軸

紙本墨筆，長二尺七寸餘，闊一尺二寸餘，題款右上。老梅一株，一翁徘徊花側，若有所思，寒瑟之氣溢於紙上。

徐天池大士像軸

紙本水墨，長三尺五寸餘，闊一尺四寸餘，無款，右上題「般若波羅」四字，左下押白文「徐渭」、朱文「天池」兩方印。大士一軀，趺坐蓮池。運筆圓勁，取法道子，水面雲氣一截尤爲傳神之筆。翁覃溪題於詩斗，原裱邊綾尚有桂未谷諸家題跋，因色闇碎裂，今另裝掛條。

水繪園女史花鳥軸

紙本設色，長四尺七寸，闊一尺二寸。生香活色，秀麗迎人。冒辟疆題於本幅上方。辟彊簉室皆善繪事，是幅未題作者姓氏，惟花鳥精工，當出蔡含手筆。

石濤山水册

紙本水墨，六頁，高八寸餘，闊七寸餘。每頁有題，後又自題一頁。奔放之筆以細秀出之，洵非他手所及。内遊惠山一頁，夜景迷離，其妙不可思議。

石濤岳陽樓圖卷

紙本設色，高九寸餘，長四尺一寸餘，款在圖左。布局與前謝樗仙卷相同，殆皆臨模陳稿，惟筆意縱横，謝所不逮。後紙婁堅書《岳陽樓記》，高與前同，長八尺七寸餘。又紙石韞玉跋。有袁氏及孫槐軒收藏印章。

石濤梅竹雙清圖軸

紙本墨筆，長四尺一寸，闊一尺四寸餘。花枝奇崛繁密，用筆細秀如鐵。上題《梅花吟》八首，書法亦清逸入古，洵爲無上精品。曾爲景劍泉所藏，有「郁蘭堂珍賞」「長白李氏儉德齋珍藏書畫印」「李慎鑒定」諸印章。

石濤秋色圖軸

紙本設色，長五尺五寸餘，闊一尺六寸，款在右上。色彩絢艷，創意奇特，更於青色蕉葉上加以墨竹，有揮灑自如之妙。

石溪山水軸

紙本設色，長五尺三寸，闊二尺五寸餘，題在右上。山巒夭矯，林木華滋，梵宫禪院，溪閣水亭，布置無不入妙。中寫湖光一片，更能引人入勝。有「金傳馨」「何理盦心賞」諸印。

方歐餘山水軸

紙本水墨，長三尺九寸餘，闊九寸餘，款在左上。峯巒突起，老木數株，筆致絶類思翁。

楊子鶴花卉草蟲卷

紙本設色，高七寸餘，長一丈八尺二寸餘，款在畫後。梅竹襍卉、蛺蝶蟲鳥寫生數十種，氣韻生動，傅色淡雅，深得元人遺意。紙白如新，尤足珍愛。先藏劉氏寒碧山莊，後歸山陰俞氏。

顧若周蘭亭圖軸

紙本水墨，長二尺八寸，闊一尺餘，款在左下。筆致深秀，疎密合度，圖上王虚舟縮臨《蘭亭叙》亦精美可愛。有「王澍印」「第八洞天福地人家」兩印。

高淡游鶴守梅花圖軸

紙本設色，長四尺一寸餘，闊一尺四寸餘，款在右上。巒容寒秀，花意盈盈，筆端簡潔不凡。陸世鎏、金俊明、徐增、徐晟、瞿綬、張適六人題於本幅，蔚然可觀。

黄尊古泰岱攬勝圖軸

紙本水墨，長三尺八寸餘，闊一尺三寸，題在左上。重嵐雄秀，松柏蒼深，氣韻渾厚，駸駸逼古，安得不以大家目之。曾爲陸潤之所藏。

王東莊仿古山水屏幅

紙本，十二幅，青緑淺絳六幅，水墨六幅，長三尺二寸餘，闊一尺四寸餘，款在雪景右下，餘皆印章，惟各幅不同。臨摹各家，無不曲盡其妙，不僅東莊生平鉅製，抑亦藝林瑰瑋大觀。有沈德潛、汪由敦、王承光、沈起元、張湄、張梓、王正功、葛祖亮、張廷瑑、徐觀光十人各題一幅，董邦達題兩幅，長二尺二寸餘，闊與畫同，原裱裝於圖上，今另裝十二幅。名繪寶墨偶一比櫛懸陳，恍入山陰道上。

清高宗古木文石圖軸

紙本水墨，長二尺八寸餘，闊一尺餘。皴染樹石有珠圓玉潤之妙，坡石間野花襍卉點綴有致。左上題詩一章，寶璽十五方。

蔣南沙九桃圖軸

絹本設色，長四尺二寸餘，闊二尺一寸餘，款在右下。桃樹一株，結實九枚，有含露可摘之態。圖上康熙御筆蟠桃詩，有乾隆、嘉慶兩朝寶璽五方。

謝林邨山水軸

紙本水墨，長三尺一寸餘，闊一尺一寸餘，左上小楷長題。山巒層叠，溪水急湍，造境幽邃，不同時史，墨光秀潤入裏，尤爲絕詣獨臻。

張篁村萬木奇峯圖軸

紙本水墨，長四尺九寸餘，闊一尺七寸餘，款在右上。氣象葱鬱，筆墨與畫境稱合，不愧能手。

張玉川萬木奇峯圖軸

紙本設色，長四尺八寸餘，闊一尺六寸餘，款在右上。皴染均仿黄鶴山樵，布局之綿密，用筆之沈細，殆其生平傑作。曾爲景劍泉所藏。

華新羅明妃出塞圖軸

紙本設色，長四尺三寸餘，闊一尺九寸餘，題款在左上。作駱駝一，明妃挾琵琶騎其上，含顰斂怨，意在畫外，圉人執鞚前行，狀極壯偉。工細之作，而筆端仍有逸氣，是新羅獨到處。

華新羅關山勒馬圖軸

紙本設色，長三尺九寸餘，闊一尺八寸餘，款在左上，字大徑寸，逼肖廟堂畫作。雪山突起，下寫坡路，均用水墨烘染托出，不加皴點。孤鴈遠飛，一朱衣者勒馬翹首回顧。設境壯偉，可謂神來之筆。

華新羅山水人物册

紙本設色，十頁，高八寸餘，闊一尺餘，每頁有題。平淡之中，時有奇趣。内「藥闌士女」「夜雨孤舟」兩頁，畫境超逸，尤饒神韻。先爲潘季彤所藏，後歸孔氏嶽雪樓。

蔡松原夕陽秋水圖軸

紙本設色，長四尺三寸，闊一尺九寸餘，題在右上。皴染全仿唐六如，樹法尤爲神似。全幅氣勢生動，施色嫻雅，松原圖畫歎觀止矣。

皇六子頻婆圖軸

紙本設色，長四尺四寸餘，闊一尺九寸餘。此圖爲獅犬寫照，頻婆其名，毛色黑白參錯，狀態如生。緑茵滿地，翠竹一叢，芳草閒花，點綴於平坡石罅間，工雅絶倫。題在詩斗，并繫小詞。曾爲景劍泉所藏，有「蓮樵成勳鑒賞書畫之章」，餘印弗録。

高西園紀游山水册

紙本設色，細筆十頁，高八寸，闊九寸餘。每頁有題，并題對頁及引首。泰嶽、明湖諸勝，歷歷如覩。運筆尃色，古秀引人。《松亭圖》一頁尤精幽有致，乃右手極精之作。

高且園花卉翎毛册

絹本設色，十頁，高九寸餘，闊九寸餘，每頁題款於下角。謹細淵雅，全仿院本，迥與習見不同。對頁果親王書，畫幅有「果親王府圖籍」印。王翰甫曾藏一册，秘不輕示，工細相類，而氣韻娟秀遠不逮此。

王蓬心山水軸

紙本設色，長二尺九寸餘，闊一尺五寸餘，題款在左上。筆墨蒼潤有致，絕無枯禿之憾。此係畫贈乃叔，宜其經意乃爾。

董東山臨馬遠瀟湘八景卷

紙本水墨，高七寸餘，長一丈六尺七寸餘，圖後隸書題款。雲水蒼莽，筆墨俱化，不但時史不能望其項背，即公亦恐難再。每景高宗題詩於上，乾嘉兩代寶璽數十方，重承睿賞可知。

羅兩峯東坡藥玉船圖軸

紙本水墨，長二尺四寸餘，闊一尺。圖寫東坡藥船一具，古意盎然。翁覃溪題於本幅，接紙復題兩詩并周叔恒題。曾藏端谿何氏，南皮張文達題籤。

桂未谷古松圖軸

紙本墨筆，長三尺，闊一尺九寸餘，題款在左方。枝葉倒垂，用筆蒼勁有力，此爲畫中逸品。

潘蓮巢看梅圖軸

紙本設色，長四尺三寸餘，闊一尺四寸餘，右上夢樓題款。嵐容深秀，梅寺清幽。人物略師石田而氣韻生動，儼然六如遺意。

錢松壺臨黄鶴山樵西莊載菊圖軸

紙本墨筆，長三尺六寸，闊九寸，題在上方偏左。皴染均深得叔明神髓，紙白如新，神韻益足。

余秋室調羹圖軸

紙本設色，長三尺四寸餘，闊一尺七寸，款在左方。圖以調羹稱，故容體端雅，不作嬌柔之態，非深於畫理者不辨。

改七薌文章四友圖軸

紙本設色，長四尺一寸餘，闊一尺六寸餘，款在左方。衣冠四人，各具狀態，風流儒雅，氣度清華。用意之工，點綴之精，直可抗衡實父。圖上陳希祖題。

湯貞愍琴隱園種菊圖軸

紙本設色，長二尺四寸餘，闊一尺一寸餘，款在左上。此圖爲家園寫照，景物清幽，筆致蒼秀，不僅畫以人重。圖上金應仁、孫義鈞題。

戴文節山水册

羅紋紙本，十頁，設色、水墨各五頁，高九寸餘，闊八寸餘，每頁有題。法惠崇、范中立、馬和之、王黄鶴、董思翁筆意五頁，餘則自運。文節畫筆每以踈秀取姿，是册於幽澗之中兼有蒼渾之氣，斯爲難得。惜畫後尚有一跋，不知何時佚去。今按《畫絜》照録一過，以待璧合。

戴文節峭壁叢篁圖軸

紙本水墨，長二尺七寸，闊一尺四寸，款在右上。此爲視學粵東英德舟中寫景之作，溪水奔漩，竹�茂密，取境深曲有致。有楊溪馬氏收藏印。

戴文節松亭秋爽圖軸

紙本水墨，長三尺八寸餘，闊一尺七寸，題記署款在上方居中，左次又題一則。此圖係仿石谷，氣韻幽秀，精神團結，文節大幅中少見之作。石谷原本曾於京舍一見，用墨稍淡，神采較此轉遜。有「田溪書屋鑒藏」「麗甫審定」「冠五清賞」諸印。

藝　文　叢　刊

第　六　輯